CH00693721

GERMAIN MOREL

MAITRE DE FORGES

~~~~~~~~~~~

27
3g342

DU MÊME AUTEUR

CATALOGUE DE LA BIBLIOTHÈQUE DE SAINT-CHAMOND. 2 vol. in-8°.

LA CAPUCINADE, poème composé en 1792, réédité avec une introduction et des notes. 1 vol. in-12.

DUGAS-MONTBEL, sa vie et ses œuvres. 1 vol. in-8°.

LA BIBLIOTHÈQUE DE SAINT-CHAMOND. 1 vol. in-8°.

LA FÊTE PATRONALE DE SAINT-CHAMOND, 1 br. in-12.

SOUVENIRS DE CENT ANS (1789-1889); Saint-Chamond et Rive-de-Gier. 1 vol. in-8°.

F. COIGNET, sa vie, ses œuvres. 1 vol. in-8° (sous presse).

LAVALLA PENDANT LA RÉVOLUTION. 1 broc. in-12.

Phototypie A. Poméon.

D'après un dessin au crayon.

GERMAIN MOREL

GUSTAVE LEFEBVRE

GERMAIN MOREL

MAITRE DE FORGES

LYON

H. GEORG, LIBRAIRE-ÉDITEUR

65, Rue de la République

—

1890

A NOTRE SAVANT COMPATRIOTE

Monsieur le Chanoine

James Condamin

A L'AUTEUR

DE L'HISTOIRE DE SAINT-CHAMOND

ET DE LA SEIGNEURIE DE JAREZ

———————

Hommage empressé et cordial.

GUSTAVE LEFEBVRE.

GERMAIN MOREL

« C'est la volonté qui fait les grands hommes ;
parvenir, c'est persévérer, » a dit un littérateur. Rien
n'est plus vrai ; rien ne le fut jamais autant. Cette pensée, que j'ai retenue de je ne sais quel ouvrage, vient
de tomber spontanément de ma plume, tant elle devait
trouver ici sa place naturelle. Oui, c'est la volonté qui
fait les grands hommes, mais à la condition que cette
volonté soit soutenue par un travail constant.

Le lecteur se demande sans doute quel peut bien
être le personnage auquel je décerne, avec tant de har-
diesse, une épithète aussi sonore et il s'imagine peut-
être que je viens de découvrir, dans les plis vénérables
d'un poudreux parchemin, le nom d'une célébrité quel-
conque. Qu'il se détrompe ; l'homme auquel sont
consacrées ces quelques pages vécut sans bruit et sans

orgueil. Il n'était point fils de comte ni de marquis ; il n'eut point de flatteurs pour bénir sa naissance ; son premier abri ne fut point un château magnifique. Dans le cours de son existence, il ne fut habitué ni au luxe ni à la mollesse, et l'on peut affirmer qu'il ne jouit d'aucun des plaisirs de la vie ; ne cherchant jamais à dominer ses semblables, encore moins à les éblouir, il préféra sans cesse, et avec raison, une modeste simplicité à cette sotte vanité qui ressemble au vrai mérite comme le clinquant à l'or.

Figurez-vous, au contraire, un de ces braves ouvriers que nous voyons chaque jour, avec une veste courte et des pantalons demi-usés retombant à peine sur ses « méchants » souliers, se levant de grand matin pour se rendre, en hiver comme en été, au travail, afin de gagner, selon l'expression pittoresque de Rabelais, « sa chétive et paillarde vie. » Pour peu qu'il ait l'air triste et froid, l'œil caverneux, les cheveux incultes, vous aurez, sauf une légère variante, le portrait de celui que notre ville peut, à coup sûr, appeler un grand homme de caractère.

J'ai nommé Germain Morel.

Ce que peut une volonté ferme secondée par une active intelligence, ce que peuvent le travail, l'opiniâtreté, la modestie, l'ordre et l'économie, il l'a montré pour l'exemple des jeunes, des ardents, qui désirent, à tout prix, préparer leur avenir, se faire une position.

Jean-Pierre Germain Morel naquit à Saint-Chamond,

le 25 novembre 1820, de Antoine Morel (1) et de dame
Antoinette Rozier. Ses parents possédaient, dans les
terrains occupés aujourd'hui par la Compagnie des
aciéries de la marine et des chemins de fer, une petite
maison d'habitation attenante à la forge que dirigeait le
père. Ce n'est pas à dire que la fortune des époux Morel
fût considérable ; bien au contraire, à part cet immeuble, source de leur existence ordinaire, ils ne possédaient rien. Il fallait donc que, pour parvenir, leur fils
se prît, comme eux, corps à corps avec la fortune, pour
sortir d'un rang relativement infime et tenir tête à des
rivaux redoutables. La suite montrera qu'il sût triom-
pher de ces difficultés, de prime abord, insurmontables.

Les premières années de Germain Morel se passèrent
sur les bancs de l'école où l'on se contentait d'apprendre l'écriture, la lecture et les quatre règles de l'arithmé-
tique. C'est une fois pourvu de ce maigre bagage scienti-
fique qu'il dut songer à gagner sa vie. Hélas! on ne
pensait guère, à cette époque, à donner aux jeunes gens
une instruction plus solide, à développer leur intelligence dans de larges proportions, à leur procurer, en
un mot, les moyens de s'élever plus tard, eux aussi,
quoique peu fortunés, à un rang supérieur. De nos
jours, s'il est un progrès encourageant à constater, c'est
bien sous le rapport de l'instruction. Non-seulement

(1) Antoine Morel fut nommé conseiller municipal par
arrêté du Sous-Préfet de Saint-Étienne, le 8 décembre 1828.

chacun peut, mais chacun doit apprendre ; il n'est pas jusqu'au paysan du hameau le plus reculé qui puisse arguer de l'absence d'une école pour justifier son ignorance ; chez le riche aussi bien que chez le pauvre, au sein des palais comme sous le toit de chaume, l'être humain, qui, en théorie, naît partout égal, reçoit une instruction élémentaire et peut, de la sorte, acquérir cette multitude de connaissances variées qui forment la base d'une éducation solide et le fond d'une agréable conversation.

Dès lors, l'intelligence n'est plus enchaînée dans les liens étroits d'une basse condition ; elle prend son essor, s'élève peu à peu et domine parfois les esprits engourdis qui se reposent trop souvent de l'avenir sur une richesse, hélas ! bien éphémère. C'est ainsi que notre siècle a vu et voit encore sortir des rangs du peuple la plupart de nos célébrités. Loin de moi la pensée de vouloir par là attribuer aux classes pauvres l'apanage exclusif et comme le monopole de l'intelligence ! Non, car nous avons sous les yeux la preuve manifeste du contraire. Mais ce qui est certain, c'est que l'homme, qui doit se créer un avenir par ses propres forces, occupe, peut-être plus que le riche, tous ses loisirs et dépense toute son ardeur au travail. Voilà pourquoi cet homme parvient le plus souvent à se faire un nom.

Tel était Germain Morel : bien jeune encore, il se met courageusement au travail dans la maison pater-

nelle, s'exerçant au pénible métier de puddleur et riva-
lisant d'efforts même avec les vieux ouvriers les plus
durs à la tâche. Il est notoire, en effet, que le métier de
puddleur est l'un des plus pénibles que l'on connaisse.
Imaginez un ouvrier placé constamment près d'un four
chauffé à une température capable de fondre le fer, ne
pouvant s'en éloigner, devant brasser avec un instru-
ment de fer une masse de métal pâteux qui ne pèse pas
moins de 300 kilogs, qu'il faut retourner dans tous les
sens et sur laquelle il faut rester les yeux fixés, aveuglé
par la clarté incandescente du fer chauffé à blanc ; sup-
posez que cette opération se renouvelle plusieurs fois et
vous pourrez à peine juger la dureté de ce travail.

Or, c'est après une journée d'aussi pénibles labeurs
que Germain Morel se retire le soir sous le toit pater-
nel ; et là, sous les vacillements d'une lampe fumeuse,
il s'exerce à tracer quelques lignes, à faire une ébauche
de dessin, préludant de loin à une invention destinée à
faire moins sa fortune personnelle que celle de son pays
natal. Peu à peu, il se perfectionne dans le dessin, ap-
profondit les sciences mathématiques, acquiert des
connaissances détaillées sur la fabrication du fer et sur
les différentes applications qui peuvent en être faites ;
et ce qui rend ces connaissances plus appréciables encore, c'est qu'elles ne sont pas simplement techniques ;
sachant encore en faire l'application, il peut mener à
bonne fin les plus arides travaux et diriger au besoin
les détails matériels de leur exécution.

De pareils résultats remplissaient de joie les époux Morel et les faisaient augurer, de la façon la plus favorable, de l'avenir de leur fils. Ses capacités intellectuelles, ses aptitudes physiques, secondées par une ardeur et une persévérance remarquables, faisaient de lui une nature accomplie. Dès lors, ses parents n'hésitèrent pas, — et cela peut-être même sur les instances de Germain Morel, — à le pousser plus loin dans une voie où il semblait débuter si brillamment. A l'âge de 18 ans, il se présenta avec succès aux examens d'admission à l'école des mineurs de Saint-Etienne. Il en suivit les cours pendant trois années consécutives (1). Nul doute que, sous une direction comme celle de Monsieur Roussel-Galle, ingénieur en chef, et avec des professeurs aussi expérimentés que Messieurs Fénéon, Callon, Grüner, il n'ait élargi notablement le cadre de ses connaissances premières. Enfin, en 1841, il se

---

(1) L'école des mines de Saint-Etienne, fondée en 1817, est destinée à former des directeurs d'exploitation de mines et d'usines minéralurgiques. Les cours durent trois années. La première année est spécialement consacrée aux cours théoriques d'analyse mathématique, de mécanique rationnelle, de physique, de chimie, de minéralogie, de géométrie descriptive et stéréotomie et de levé de plans. Les deux autres années sont consacrées aux cours d'application. Il va sans dire que ce programme d'études a subi, depuis un demi-siècle, de nombreux changements.

trouva compris dans la promotion des dix-huit élèves
auxquels on accorda un brevet de sortie (1)

C'était précisément l'année où l'industrie du fer,
inaugurée sur le sol essentiellement houiller de l'arrondissement de Saint-Etienne, faisait de rapides progrès.
Après avoir livré d'abord au commerce des produits
fort défectueux, les métallurgistes étaient arrivés, grâce
à d'importantes améliorations obtenues dans la fabrication, à réaliser un chiffre d'affaires très respectable.
En effet, le total général des valeurs créées par l'industrie des fers n'était, en 1834, que de 3,940,623 francs ;
et, sept années plus tard, ce même total montait à la
somme de 7,911,498 francs. De pareils résultats sup-
posaient une source de richesse bien féconde. Les fonderies, les forges, les aciéries, les fabriques de faulx et
de limes se multipliaient; ces usines étaient jalonnées
de Rive-de-Gier à Firminy; il y régnait une grande activité, un travail continu y était abondant et productif
et ce travail d'élaboration et de fabrication marchait
parallèlement à un autre grand travail dont il était la

---

(1) Avant Germain Morel, trois de nos compatriotes avaient
suivi les cours de l'école des mines : MM. Duhaut, ingénieur
aux forges de Saint-Chamond; Jouvencel, ingénieur aux
forges de Saint-Julien-en-Jarez; Simil, ingénieur aux aciéries
de Langonan (promotion de 1832). Aujourd'hui, le personnel
des ingénieurs de la Compagnie des forges de Saint-Chamond
se compose d'élèves sortis soit de l'école des mines de Saint-
Etienne, soit des écoles d'arts et métiers.

source, celui des transports exercés sur une grande
quantité de matières premières et sur les produits
fabriqués (1).

Ce dernier travail, comprenant les transports, avait
d'autant plus d'élasticité et d'importance qu'il fallait
emprunter aux départements voisins une partie des
matières premières qui fécondaient l'activité desdites
usines.

Ainsi la plus grande partie des minerais et des
castines provenaient de gîtes qui n'appartenaient point
au département de la Loire; on importait aussi de
divers lieux des fontes et des fers; c'était là, en quelque
sorte, la base d'un échange qui se faisait avec les bonnes
qualités de la houille de Saint-Etienne, lesquelles trouvaient difficilement leurs rivales hors de l'arrondissement de ce nom.

Ce fut, au reste, cette même nature de combustible
qui conserva au même arrondissement l'industrie du fer
qu'il s'était si heureusement appropriée, et dont la pro-
gression rapide marquait suffisamment le mérite des
produits qu'elle versait annuellement dans le commerce.
Les fers étaient estimés, et ils suffisaient en partie aux
besoins divers existant sur tous les points de la France.

Les aciers avaient une supériorité incontestable,
et que plusieurs expositions générales des produits de

___

(1) Voy. *Annuaire de la Loire,* 1845. Montbrison, Bernard,
1 vol. in-18.

l'industrie française avaient parfaitement mise en évi-
dence. Aussi, le mouvement de l'industrie du fer pro-
gressait-il chaque jour d'une façon notable, à en croire
les tableaux suivants :

Année de production	Total général des Valeurs créées par l'industrie des fers	
1834	3.940.623	francs
1835	5.917.982	»
1836	4.483.736	»
1837	5.063.462	»
1838	5.172.022	»
1839	5.673.998	»
1840	7.127.644	»
1841	7.911.498	»

Il est à remarquer que toutes les usines appartenaient
exclusivement à l'arrondissement de Saint-Etienne ; les
deux autres arrondissements du département de la Loire
n'étaient point dans des conditions assez favorables
pour avoir leur part dans le travail productif que l'industrie du fer créait partout où elle s'établissait.

Ainsi, on trouvait, à Terrenoire et à l'Horme, les
hauts-fourneaux (1) destinés à la fusion des minerais

(1) Quant aux mines de fer du département qui concou-
raient à leur approvisionnement pour une faible partie, elles
se confondaient avec les mines de houille de l'arrondissement
de Saint-Etienne, ou bien se trouvaient à la Tour-en-Jarez,
sur la limite du sol houiller.

de fer. Les grandes forges, pour la conversion de la
fonte en fer marchand de tout échantillon, existaient
à Lorette, La Chapelle, L'Horme, Saint-Julien-en-Jarez,
Saint-Chamond, Isieu, Bérard et aux Billetières. Les
aciéries étaient placées à la Grand Croix, l'Étivallière,
la Terrasse, Valbenoîte, Cotatey, Trablaine et Unieux.

Des fabriques de faulx étaient établies à la Terrasse,
à Firminy et près des Billetières. On fabriquait des
limes à Saint-Etienne, à Valbenoîte et à Trablaine. Les
usines pour la fabrication des enclumes s'étaient aussi
formées soit à Saint-Etienne, soit aux Billetières.

Or, l'usine Morel n'avait, à cette époque, qu'une
importance tout à fait secondaire ; on se contentait d'y
fabriquer, pour le compte de MM. Petin et Gaudet,
directeurs de forges à Rive-de-Gier, des fers fins dont
ils étaient d'ailleurs fort satisfaits. Mais, l'exiguïté de
l'atelier, le défaut d'outillage suffisant, et surtout l'absence de ressources financières ne permettaient aucun
agrandissement, aucune extension. Déjà même, il n'était
plus possible de répondre à toutes les commandes et la
famille Morel allait bientôt voir échapper de ses mains
le travail et l'argent, conditions essentielles de la pros-
périté et du bonheur. La métallurgie était dans une
situation tout-à-fait florissante : la construction de nombreux navires et l'établissement de divers réseaux de
chemins de fer contribuaient, pour la plus large part,
à ce mouvement. Il fallait donc à tout prix que l'usine
Morel élargit son horizon. Germain Morel le comprit

et entama de suite des négociations avec MM. Petin et Gaudet, de Rive-de-Gier.

Ces deux associés dirigeaient alors une usine, importante pour l'époque, mais qui, de nos jours, ferait une singulière figure à côté des immenses ateliers de la Compagnie des forges et aciéries de la marine et des chemins de fer. En effet, Armengaud aîné (1) rapporte que l'usine Petin et Gaudet comptait, vers 1848, environ 120 ouvriers, alors qu'il résulte de l'exposé même de la Compagnie actuelle des forges que 6000 ouvriers sont occupés, en temps normal, aux ateliers de Saint-Chamond et dans les diverses succursales de la Société. La comparaison de ces deux chiffres est donc écrasante !

Quoi qu'il en soit, MM. Petin et Gaudet passaient pour des maîtres de forges « très intelligents et fort actifs, qui rendaient d'immenses services aux constructeurs et aux Compagnies de chemins de fer, en général, en leur livrant, à très bon marché et parfaitement bien conditionnées, les pièces de fer les plus difficiles et de toutes dimensions ! »

D'autre part, un ingénieur distingué, Armengaud aîné, écrivait, en 1849, les lignes suivantes (2) :

« L'établissement de MM. Petin et Gaudet, fondé

----

(1) Cf. *Publication industrielle des machines, outils et appareils*. Tomes 5 et 6.

(2) Armengaud aîné. Cf. *Moniteur industriel*, journal de la défense du travail national, 15 juillet 1849.

en 1839, pour la fabrication spéciale des grosses pièces de forge, est l'un des premiers qui, en France, ont appliqué le marteau-pilon à vapeur, comme moyen de forgeage. A cette époque, les pièces de forge pour les appareils de mer se prenaient en Angleterre, et les prix en étaient très élevés; ainsi les arbres de bateaux se payaient 300 francs les 100 kilogs et les manivelles 4 à 5 francs le kilog.

« Ces fabricants ne tardèrent pas à perfectionner les moyens de forgeage, et ils réduisirent successivement, sans y être obligés, les prix de leurs produits. C'est ainsi qu'ils parvinrent en peu de temps à fournir toutes les pièces de forge à nos principaux établissements de construction, tels que MM. Cail, Guin, Farcot, de Paris; Mazeline, du Havre; Babonneau et Gache, de Nantes; Taylor et Benet, de Marseille, etc... et aussi aux diverses Compagnies de chemins de fer. Aujourd'hui, ils livrent à l'industrie les arbres de bateaux au prix de 80 à 90 francs les 100 kilogs et les manivelles au prix de 160 à 180 francs, et toutes autres pièces en fer forgé dans la même proportion.

« Les produits envoyés à l'exposition par MM. Petin et Gaudet se distinguent particulièrement par la beauté du grain et l'homogénéité parfaite de la matière autant que par la parfaite exécution. Leur creuset en fer forgé sans soudure pour fondre l'argent, est évidemment une pièce unique comme on n'en avait point encore fabriqué jusqu'ici; leurs bandages pour roues de wagons et pour

roues de locomotives (façon acier) sont aujourd'hui
recherchés par les chemins de fer, aussi bien que leurs
essieux, soit pour la bonne qualité soit pour le prix ;
car ces articles ne reviennent qu'à 60 francs les 100
kilogs en laminé et 80 francs en martelé.

«.... Nous avons appris que MM. Petin et Gaudet
avaient livré à l'Etat, en janvier 1849, sept pièces d'ar-
tillerie en fer forgé, savoir : un obusier de 16, deux
mortiers de 27, et quatre pièces de canon dont une de
12, et trois de 24. Ces pièces sont terminées d'ajustage.
Le corroyage et le fini ne laissent rien à désirer. On
comprend à l'avance à quel avenir peuvent être appe-
lées de telles pièces exécutées en fer forgé, au lieu d'être
en bronze, par leur grande durée et par la grande économie qui en résultera.

« Nous devons dire à ce sujet que MM. Petin et
Gaudet, ayant étudié la question d'une manière toute
spéciale, ont pris un brevet d'invention pour la forme
et la disposition particulière des paquets qu'ils préparent
pour le soudage de ces pièces ; aussi, il est désormais
possible d'obtenir par leurs procédés un travail manu-
facturier ; des produits garantis coûtant beaucoup moins
cher à l'Etat que les pièces en bronze et présentant
plus de durée.

« En résumé, on peut le dire avec assurance, et on
peut d'ailleurs s'en convaincre aisément, ce ne sont
pas seulement des produits très remarquables qui distinguent l'exposition de MM. Petin et Gaudet, ce sont

encore leurs nouveaux procédés de fabrication qui
doivent être considérés comme des progrès réels et très
importants, dont l'industrie métallurgique aura le plus
à s'enorgueillir, car la plupart des pièces exposées par
ces habiles fabricants ne se sont pas encore faites
jusqu'alors.

« Enfin, nous avons acquis la certitude que cette
maison est montée de manière à pouvoir livrer au
commerce 30 à 40 mille kilogs de fer par mois. »

Aussi est-ce par de telles considérations que le jury
des récompenses décerna, en novembre 1849, à Messieurs Petin et Gaudet, maitres de forges à Rive-de-
Gier, un rappel de médaille d'argent.

Toutefois, il ne faudrait pas croire que les progrès
de plus en plus sensibles dans la fabrication des fers
fussent une conséquence naturelle de l'activité toujours
grandissante de la métallurgie. Bien au contraire, un
rapport(1) du sous-préfet d'alors, M. Chambaron, lais-
sait entrevoir que, soit par suite des crises politiques,
soit pour toute autre cause ignorée, l'industrie des fers
avait baissé dans une proportion notable : « En 1847,
disait-il, l'activité était complète et l'écoulement à peu
près de niveau avec la production.

« A partir du mois de mars 1848, la production a

____

(1) Ce rapport était fait au Conseil d'arrondissement de
Saint-Etienne, présidé par M. Dugas-Vialis, de Saint-Chamond. — Cf. l'*Avenir Républicain*, 26 août 1849.

été réduite à moitié et l'écoulement est resté un peu inférieur à la production.

« Au mois de février 1849, la production s'est élevée aux deux tiers, sur l'espoir d'une reprise des affaires dans le courant de l'été; la consommation a atteint le niveau de la production pendant les mois de mars et avril, mais, depuis, elle est devenue de beaucoup inférieure.

« Il faut ajouter que les prix de vente sont arrivés, dès le deuxième semestre 1848, à une réduction de 33 pour cent, comparativement aux prix de 1847; cette baisse s'est maintenue en 1849, et rien ne fait espérer une reprise, soit pour les prix, soit pour l'écoulement.

« Un grand nombre d'établissements qui employaient, avant 1848, toute leur activité pour la fabrication des rails, se sont rejetés sur celle des fers et ont provoqué une concurrence ruineuse pour nos usines. »

Or, c'est à la veille d'une époque aussi mouvementée que l'a été celle de 1848, que la famille Morel songea à asseoir sur des bases plus solides sa modeste usine. J'ai dit plus haut que Germain Morel avait entamé des négociations avec MM. Petin et Gaudet, de Rive-de-Gier, dans le but de s'associer à eux pour la fabrication du fer. Cette combinaison fut acceptée, de part et d'autre, avec empressement; car, si la famille Morel y trouvait un avantage matériel fort appréciable, MM. Petin et Gaudet pouvaient aussi surveiller de plus près la fabrication des fers et en garantir la supériorité.

Suivant acte passé chez Me Rousset, notaire, à Rive-

de-Gier, le 17 décembre 1847, Antoine Morel père et
Germain Morel fils d'une part, et H. Petin et J. M.
Gaudet, d'autre part, contractèrent « une société commerciale ayant pour objet la fabrication du fer. » Cette
société, dont le siège devait être établi à Saint-Chamond
dans l'établissement Morel, fut contractée pour une
durée de neuf ans, à partir du 1er février 1848, sous la
raison commerciale Morel et Cie. A dater de cette époque, l'usine de Saint-Chamond prit de suite plus d'importance et réalisa de plus forts bénéfices. Grâce à leurs
nombreuses relations, MM. Petin et Gaudet recevaient
sans cesse des commandes des compagnies de chemins
de fer, pour lesquelles ils fabriquaient des roues de wagons, tenders, locomotives, etc..... C'était même là ce
qui faisait la principale fortune de l'usine.

Ainsi que je l'ai déjà fait remarquer, la difficulté
première, qui s'opposait à l'agrandissement de l'atelier
Morel, était la difficulté pécuniaire ; Germain Morel venait de la vaincre. Devenu, pour ainsi dire, seul directeur
de l'établissement à Saint-Chamond, il pouvait donner
à son commerce toute l'extension qu'il jugeait nécessaire. Vous êtes peut-être tenté de croire qu'à partir de
cette nouvelle organisation il songea à rester dans l'inac-
tion. Détrompez-vous, loin de prendre du repos, il se
mit au travail avec une ardeur plus grande, s'il est possible, veillant chaque soir, passant même des nuits entières à mûrir le plan d'une invention destinée à accroître
d'une façon notable l'importance de l'usine de Saint-

Chamond, tout en assurant l'avenir, jusque-là bien incertain, d'un grand nombre d'ouvriers.

Personne n'ignore que la fabrication des bandages de roues de chemins de fer entretenait l'activité de nombreuses usines. En effet, dans un temps où les voies ferrées étaient en construction sur tous les points de l'Europe, il fallait faire face, dans le plus bref délai, à un nombre incalculable de commandes. Or, rien, dans tout le matériel des chemins de fer, n'était aussi sujet à l'usure que le bandage des roues de locomotives. « Après que les machines ont eu parcouru chacune un espace de 152 myriamètres, rapporte le *Moniteur industriel,* (1) on a trouvé que les roues de devant, ou directrices, qui ont 1^m051 de diamètre, avaient perdu un poids de fer de 8 kilogs environ, et celles de derrière, qui ont 1^m550, un poids de 6 kilogs. La perte du poids des roues motrices a été presque insensible. Il en résulte qu'il y a une perte de 1 gramme 834 par myriamètre et par tonneau pour les premières, et de 1 gramme 003 pour les secondes.... En moyenne, une locomotive qui a parcouru 1852 kilomètres a perdu dans ses roues 15 kilogrammes 365 de fer pour une charge de 12,5 tonneaux, ce qui fait près de six grammes de fer par tonneau et par myriamètre, et si on calcule la perte ainsi faite sur un chemin d'un grand parcours et où règne une grande activité, on voit qu'il s'y perd par an

(1) Cf. *Moniteur industriel,* 29 juillet 1849.

plusieurs centaines de quintaux métriques de fer qui s'en vont en poussière sur toute la ligne. »

Les bandages de roues devenaient donc, pour les Compagnies de chemins de fer, d'une grande importance, parce qu'ils étaient sujets à de nombreuses réparations et entraient par conséquent pour une grande partie dans les frais d'entretien que les Compagnies avaient à supporter. Aussi la concurrence devint-elle la source de nombreuses améliorations apportées dans ce genre de fabrication.

On avait longtemps regretté de ne pas trouver en France des bandages d'une qualité équivalente aux produits anglais, surtout pareils à ceux de Low-Moor dont la réputation était européenne et bien méritée et qui étaient eux-mêmes très supérieurs aux autres bandages de forge anglaise. Dès ce moment, plusieurs usines s'efforcèrent de marcher sur les traces de Low-Moor; elles obtinrent même des succès inespérés, car il était incontestable, suivant un rapport (1) publié en 1849, que les bandages de MM. de Diétrich étaient équivalents aux Low-Moor pour la ténacité, l'intimité du soudage, l'homogénéité, et supérieurs même aux Low-Moor pour la dureté, c'est-à-dire pour l'usure, comme il l'étaient également pour le prix.

A la même époque, M. H. Smith, ingénieur-cons-

---

(1) *Moniteur industriel,* art. forges et fonderies de MM. de Diétrich et fils, à Niederbronn (Bas-Rhin).

D

B

Fig. 43

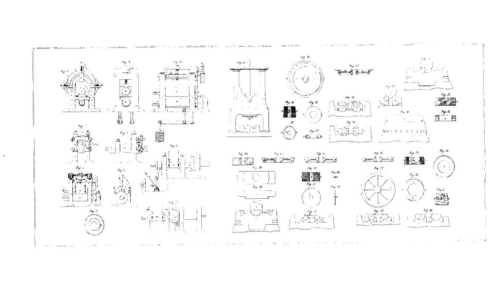

tructeur, proposait aux diverses Compagnies de chemins de fer une roue en fer forgé et d'une seule pièce. Cette roue, fabriquée entièrement au marteau et à la forge, avait la forme d'un disque ; sa portion discoïde avait 16 millimètres d'épaisseur et augmentait ensuite graduellement jusqu'à celle qu'on donnait ordinairement au moyeu, à la jante et au bandage. Or, ce nouveau mode de fabrication donnait aux roues de chemins de fer les avantages suivants : 1º une plus grande résistance sous le poids ; 2º une longue durée jointe à la facilité des réparations ; 3º une économie dans les frais. De plus, s'il faut en croire le *Moniteur industriel*, par l'emploi de cette roue on devait obvier, dans la mesure du possible, au retour d'accidents arrivés fréquemment par suite des défauts que présentaient les roues de chemins de fer, et surtout grâce à la mauvaise qualité ou à la rupture des bandages.

De son côté, Germain Morel fut assez heureux pour découvrir, après des recherches longues et approfondies, le moyen de fabriquer des bandages de roues sans soudure et au laminoir. Il fit part de son invention à MM. Petin et Gaudet qui, sur ce point, lui présentèrent d'utiles observations et lui donnèrent quelques conseils. Dans sa modestie habituelle, il sut profiter de tous les renseignements et prit, le 21 septembre 1849, un brevet pour quinze ans au nom de la Société Petin, Gaudet et Morel.

La fabrication des bandages de roues comprenait,

par le nouveau procédé, trois opérations distinctes que
l'on peut énumérer ainsi :

1° Le contournage des barres, opération qui consiste
à former une rondelle cylindrique, en contournant en
spirale, sur l'extrémité d'un rouleau, une barre de fer
méplat posée de champ, ayant la longueur et le poids
nécessaires pour la force du bandage à produire. Cette
barre, préalablement chauffée au rouge cerise, ou sor-
tant directement du laminoir à cette température, est
présentée par le bout à l'action du rouleau, et forcée
de s'y enrouler en faisant plusieurs tours successifs,
comme un ressort à boudin dont toutes les spires seraient
entièrement rapprochées.

2° Le martelage ou le corroyage des rondelles,
opération qui consiste à placer la rondelle obtenue dans
une matrice à gorge circulaire, de la forme convenable,
et à la soumettre à l'action d'un marteau-pilon qui, en
la frappant, l'écrase et lui fait prendre exactement la
forme intérieure de la matrice ; de sorte que l'on obtient
ainsi un cercle d'un certain diamètre, cylindrique à
l'intérieur, et muni extérieurement d'un rebord analogue à celui que doivent avoir les bandages. Cette
opération peut se faire en une ou plusieurs chaudes,
suivant les dimensions de la pièce, et permet d'obtenir
un corroyage parfait et bien régulier dans toutes les
parties.

3° Le laminage des cercles obtenus, opération qui
consiste à agrandir le diamètre du cercle, en le soumet-

tant à l'action de deux bouts de cylindres superposés, faisant l'effet de laminoirs, dont l'un à surface unie pour l'intérieur, et l'autre à gorge pour l'extérieur, qui doit être à rebord. Ce système de laminoir peut être construit de plusieurs manières, comme nous le ferons voir plus loin. *(Voir la planche.)*

La figure 1 représente une projection latérale de l'appareil propre à cintrer ou contourner les barres.

La figure 2 en est une vue par bout, du côté même où les barres sont présentées.

On voit d'abord que cette machine se compose en partie, comme un laminoir, de deux cages en fonte *A*, *A'*, qui portent les tourillons d'un fort cylindre *B*, lequel se prolonge en dehors, d'un côté, pour recevoir le manchon *C*, qui se réunit à l'arbre moteur, et, de l'autre, suivant une portée légèrement conique *B'*, sur laquelle on enroule la barre de fer destinée à former la grosse rondelle *R*, fig. 3.

Contre la face extérieure de la plus grande cage *A'* est adaptée la pièce d'arrêt *c*, qui a pour but de retenir l'extrémité de la barre *H* lorsqu'on commence à la placer sur le cylindre pour l'enrouler. Quatre fortes tiges ou colonnes horizontales *E* sont également fixées à cette cage pour porter le guide en fer *D*, au moyen duquel on force la barre à s'appliquer successivement contre les spires formées par la rotation du cylindre. Ce guide est muni, d'un côté, d'une patte en fer *G*, assemblée à charnière par sa partie inférieure, et retenue par le haut, au moyen d'un crochet *d*, afin de permettre, lorsqu'il est ouvert, d'introduire aisément la barre *H*, en la posant de champ sur le cylindre, et de la retenir solidement en fermant le guide, pour qu'elle soit parfaitement guidée lorsqu'on fait mouvoir le cylindre. De cette sorte, la barre est nécessairement forcée de s'enrouler sur la surface de celui-ci, en formant une suite de spires très-rapprochées l'une de l'autre ; il en résulte que lorsqu'on est arrivé à l'extrémité de la barre, c'est-à-dire qu'elle est complétement enveloppée sur la portée *B'*, on obtient une forte rondelle *R* qui a la forme et les dimensions indiquées sur les détails, fig. 3.

Il est extrêmement facile d'enlever cette rondelle, parce que, comme nous l'avons fait observer, la portée *B'* est légèrement conique, afin de présenter de l'entrée, et, par suite, assez de dépouille pour qu'en tirant la rondelle, elle se dégage sans difficulté en enlevant le guide *D*, qui la retient appliquée contre l'embase du cylindre.

La barre étant préalablement d'un poids et d'une dimension convenables, il est évident que cette forte rondelle peut suffire, comme on va le voir, à la confection du bandage ou du cercle complet sans soudure que l'on veut produire. Cette rondelle, ainsi préparée, est portée au four, afin d'être chauffée à la température nécessaire ; puis sur la matrice *A* d'un marteau-pilon analogue à celui qui est représenté en élévation sur la fig. 4, afin d'être martelée et soudée dans toutes ses parties. A cet effet, cette matrice a une disposition particulière : au lieu d'être comme une simple enclume plane ordinaire, elle présente une gorge annulaire assez large pour recevoir la rondelle, en laissant même du jeu tout à l'entour ; et comme la rondelle a une épaisseur plus considérable que la gorge de la matrice n'a de profondeur, elle désaffleure évidemment celle-ci d'une certaine quantité, ce qui est nécessaire, parce qu'alors, lorsqu'elle se trouvera écrasée par le marteau C, qui vient tomber plusieurs fois sur elle, elle remplira exactement tout le vide formé par la gorge.

Le marteau lui-même porte à sa base un teton d, qui saillit de la même quantité que celui correspondant c, ménagé au centre de la matrice ; de sorte que, lorsque le marteau est assez descendu pour toucher par sa circonférence la surface supérieure de la matrice, son teton vient justement s'appliquer contre la surface du teton c, et remplit ainsi avec lui tout l'espace central existant entre la base inférieure du marteau et la base supérieure de l'enclume. Par conséquent, la rondelle, dans cet état, a épousé exactement l'espace vide de la gorge, c'est-à-dire que sa paroi intérieure est un cercle correspondant à celui des tetons, et que sa paroi extérieure est à rebord annulaire saillant et très prononcé.

Elle a donc ainsi la forme d'un bandage de roue de wagon ou de locomotive, si ce n'est que son diamètre est plus petit, mais que son épaisseur est beaucoup plus forte. Il suffit alors de l'agrandir en la réduisant d'épaisseur, pour obtenir le bandage fini de forge sans aucune soudure, et le rendre tout prêt à monter sur le tour.

Nous complétons ce travail en soumettant alors la rondelle, ainsi corroyée et moulée au marteau, à l'action d'un laminoir particulier, tel que celui représenté sur les figures 5 et 6, ou d'un système analogue à ceux représentés sur les figures 7 et 8.

Le premier de ces laminoirs, vu latéralement fig. 5, et par bout fig. 6, a la plus grande analogie avec les laminoirs ordinaires; car il se compose comme ceux-ci de deux fortes cages en fonte *A,* placées parallèlement et assises sur une charpente solide; elles portent les deux cylindres superposés *B* et *B',* dont les tourillons sont mobiles dans des coussinets, et que l'on peut rapprocher à volonté par les vis de rappel *c,* à l'aide des pignons droits *D* et de la roue centrale *E,* qui les commande tous deux à la fois. Le volant *F,* adapté à la partie inférieure de l'axe de cette roue, et placé sous le support *H,* sert à faire tourner celle-ci, à la main, de la quantité nécessaire pour régler exactement l'écartement des deux cylindres *B, B'.*

Les axes de ceux-ci se prolongent, d'un bout, suivant des parties carrées *a,* pour recevoir les manchons qui doivent leur transmettre le mouvement des arbres de couche de commande, et, de l'autre, suivant des portées *b, b',* dont l'une, *b.* est cylindrique pour correspondre à la paroi intérieure de la rondelle *R,* et l'autre, d'un diamètre plus fort, a une forme correspondante à celle extérieure du bandage ; de sorte que lorsque celui-ci est en place, il se trouve pincé, dans son épaisseur, entre la circonférence extérieure des deux portées b, b', et, de plus, entre la joue ou l'embase k, qui est à gauche de la première, et l'embase k', à droite de la seconde : par conséquent, lorsque l'appareil est en fonction, l'étirage n'a lieu que dans la limite exacte laissée par l'écartement des joues et des portées.

Pour bien maintenir la rondelle dans le plan vertical perpendiculaire à celui passant par l'axe des cylindres, nous avons appliqué contre la cage une forte chape en fer M, dont une partie avancée o forme guide et descend jusque près de la circonférence extérieure du cylindre B ; de cette sorte, le bandage, constamment tenu appliqué contre la face plane et verticale de la chape, ne peut se déranger ni gauchir dans le mouvement qui lui est imprimé pendant l'étirage par la rotation des cylindres.

Des brides en fer I sont passées sur le cylindre supérieur, pour servir à l'enlever à l'aide de moufles, de grue ou de tout autre appareil, chaque fois qu'il est nécessaire, afin d'introduire une rondelle nouvelle et remplacer celle qui a été suffisamment étirée. Un support additionnel A', qui peut être fondu avec la première cage de droite, fig. 5, supporte le tourillon extérieur du cylindre B' ; cette addition nous a paru utile pour empêcher ce cylindre de céder à la partie travaillante, par la pression considérable qui s'exerce sur celle-ci lorsque la machine fonctionne.

Au lieu d'employer des cylindres superposés comme ceux d'un laminoir, nous avons imaginé deux autres dispositions qui peuvent remplir le même but, et dans lesquels les cylindres sont placés dans des cages séparées.

Ainsi la figure 7 représente la projection latérale de la première de ces dispositions.

On remarque que, dans ce cas, le cylindre supérieur C est monté dans les cages de fonte A, et celui inférieur D dans les cages parallèles B, qui sont tout à fait distinctes des premières, comme les cylindres eux-mêmes diffèrent par leur extrémité travaillante des précédents. Le cylindre C est solidaire avec une grande et forte coquille c, creuse ou évidée intérieurement, et qui, à l'entrée, présente justement la forme du bandage fini, avec son bourrelet ou son cordon extérieur. Ce bandage s'introduit dans cette partie et se trouve retenu contre la face droite et verticale f de la coquille et celle de l'embase l; il se trouve donc comprimé, comme entre deux cylindres, entre la coquille et la portée cylindrique du cylindre D; par conséquent, son étirage a lieu dès qu'on met les deux cylindres en activité. Lorsque la rondelle est suffisamment étirée, elle remplit exactement l'intérieur de la coquille ou de l'embase, comme le montre la figure 7. Un soutien S est appliqué au-dessous de l'embase pour lui servir de coussinet d'appui et l'empêcher de fléchir; une ou plusieurs vis de pression permettent de le régler dans la position exacte qu'il doit occuper.

La figure 8 est évidemment un appareil semblable
au précédent, dont il ne diffère que par quelques parti-
cularités. Au lieu d'introduire la rondelle dans le fond
de l'évidement pratiqué à la coquille du système, fig. 7,
nous la mettons de suite à la place qu'elle doit occuper,
en reculant simplement le cylindre D en arrière, et cela
au moyen d'une fourchette d'embrayage F, qui pivote
autour de l'axe m, et qui, à son extrémité, est dentée
en forme de secteur pour engrener avec le pignon droit
G ; de sorte qu'en s'appliquant à la poignée de la grande
manette M, pour la faire passer de la position qu'elle
occupe à celle opposée à droite, on fait glisser le cylindre D dans ses collets de droite à gauche. Cette manœu-
vre peut se faire très-aisément et sans perte de temps.

On termine donc ainsi, de forge, la confection de
chaque bandage, et sans avoir produit une seule soudure ; il suffit de le mettre sur le tour et de le monter
sur la roue qui doit le recevoir.

Voici l'un des systèmes que nous avons imaginés
pour finir les rondelles ou les bandages :

La figure 9 en est une vue par bout;

La figure 10, une projection latérale;

La figure 11, une section transversale par l'axe du
cylindre.

On voit par ces figures que cet appareil est analogue
à celui représenté sur les figures 5 et 6. Les mêmes
lettres y désignent les mêmes pièces; seulement nous
y avons fait une modification qui nous a paru essen-

5

34

tielle, c'est l'addition de plusieurs galets g', disposés
latéralement et en dessus de la rondelle R, pour la maintenir constamment pendant le travail. Ces galets peuvent se rapprocher ou s'éloigner du centre à volonté,
au moyen des vis de rappel v', dont les supports servent en même temps de guide, en empêchant le bandage de se gauchir en se laminant.

Dès que ce bandage ou le cercle est arrivé au diamètre voulu, il se trouve en contact par sa circonférence
extérieure avec les galets, qui l'arrondissent complètement en le plissant, de sorte que lorsqu'il sort de
l'appareil il est parfaitement rond. (1)

Les nombreux avantages qu'offrait la nouvelle invention devaient, on le conçoit, donner les résultats les
plus brillants ; car, à n'envisager que l'économie du
système, c'était, paraît-il, un motif largement suffisant
pour son extension rapide et son adoption sur toutes
les lignes de chemins de fer. Telle était du moins l'opi-
nion d'un savant ingénieur, Armengaud, auquel j'em-
prunte encore les lignes suivantes :

« MM. Petin et Gaudet, à qui l'on doit d'utiles et
heureux perfectionnements dans l'exécution des pièces
de fer corroyé, employées dans les puissantes machines,
comme les essieux de locomotives, les arbres de couche,
les manivelles, les tiges de pistons, les bielles pour na-

(1) Voir le volume 17, 1re série, des Brevets d'invention,
auquel j'ai emprunté la description.

vires à vapeur, etc., sont parvenus à faire des bandages de roues, en cercles, sans soudure, avec une précision et une netteté remarquables.

« On sait que jusqu'alors les bandages étaient livrés par les fabricants aux constructeurs et aux Compagnies des chemins de fer, en barres droites de la longueur voulue, et on les cintrait dans les ateliers, en les chauffant dans des fours spéciaux, pour les ajuster sur la circonférence des roues.

« Actuellement, MM. Petin et Gaudet livrent ces bandages circulaires au diamètre demandé, ce qui évite d'une part la soudure, qui est toujours difficile à faire, et ne présente pas toute la sécurité voulue, et de l'autre les déchets, les frais de main-d'œuvre et de combustible. Ces habiles fabricants sont même parvenus à exécuter ces cercles assez exacts, assez précis, pour éviter l'opération du tournage.

« Les ingénieurs de chemins de fer, les constructeurs de wagons et de locomotives, comme les Compagnies, doivent d'autant mieux adopter de tels bandages, que non-seulement ils ne laissent rien à désirer sous le rapport de leur confection, de la nature du corroyage du fer, mais encore ils procurent une économie considérable, comme on peut s'en rendre compte par les résultats suivants :

« Une barre droite pour bandage de roue de wagons, dans les dimensions voulues, pour un diamètre de 1 mètre environ, pèse 160 kil.

« Elle se livre à la Compagnie au prix
de 63 fr. les 100 kil............... soit $=$ 100 f. 80

« La façon pour le cintrage, le soudage
et le combustible, revient à............ $=$ 30 »

« La perte pour les déchets, dans cette
double opération, est de 12 k. à 63 fr.... $=$ 7 55

« Le prix de revient total est donc de... 138 f. 35

« Et comme le bandage ne pèse plus, en définitive,
que 148 kil., on voit que le prix du cercle par kilo-
gramme est de 138,35 : 148 $=$ 0,935.

« C'est-à-dire qu'il revient à 93 fr. 50 c. les 100 kilogrammes.

« Les bandages circulaires sans soudure de même
section et de même diamètre, livrés par MM. Petin et
Gaudet, pour roues de wagons, pesant 148 kil., se
vendent à raison de 65 fr. les 100 kil.

« Ils reviennent donc à la Compagnie $=$ 96 fr. 20 c.

« C'est-à-dire à 42 fr. 15 c. moins cher par cercle
que les bandages livrés en barres.

« Mais, en outre, ces bandages, fournis en barres,
sont, après le cintrage et le soudage, portés sur le tour,
afin d'être tournés dans toutes leurs parties, en dedans
comme en dehors; ce qui exige une seconde main-
d'œuvre, et produit une nouvelle perte.

« Ainsi le prix du cercle provenant de la bande cin-
trée et soudée s'élève, comme on vient de le voir,
à 138 francs 35 c.

« Ci............................ = 138 f. 35

« L'alésage et le tournage extérieur ne
coûtent pas moins de.................. = 6 60

« Les déchets s'élèvent à 10 kil. environ, à 93 fr. 50 c. les 100 kil.......... = 9 35

« Total............ 154 f. 30

« A déduire pour le fer provenant des
déchets à 12 fr. les 100 kil.............. 1 20

« Le prix de revient du bandage fini
est donc de......................... = 153 f. 10

« Et comme il ne pèse plus que 138 kil., le kilo-
gramme revient donc à

$$153 \text{ f. } 10 : 138 = 1 \text{ f. } 11$$

« Les cercles sans soudure de MM. Petin et Gaudet,
qui peuvent se monter directement sur la roue et servir
sans alésage ni tournage préalables, ne coûtent pour le
même poids de 138 k., à 65 fr. les 100 kil., que

$$\frac{138 \times 65}{100} = 89 \text{ f. } 70$$

« Par conséquent l'économie sur l'ancien système
est de :

$$153 \text{ f. } 10 - 89 \text{ f. } 70 = 64 \text{ f. } 40$$

par cercle d'égale section et d'égal diamètre, et de même
poids.

« Avec de tels avantages, on doit comprendre qu'un
aussi économique système puisse se répandre rapidement
et s'appliquer sur toutes les lignes de chemins de fer. »

Le 27 décembre 1849, les associés Petin, Gaudet et
Morel prirent un certificat d'addition au brevet du 21
septembre. « Nous avons cherché, disaient-ils, à éten-
dre nos procédés à la fabrication des roues tout entières
en fer forgé, et nous y sommes parvenus d'une manière
très simple, en suivant absolument les mêmes principes. »

On a vu que les procédés qui font l'objet du premier brevet consistaient principalement, d'une part.
dans le contournage de barres de fer méplates en hélice
autour d'un cylindre pour en former des rondelles de
dimensions déterminées, et, de l'autre, dans le martelage et le corroyage de ces rondelles, que l'on soumet-
tait à l'action d'un marteau-pilon, afin de les souder et
d'en former des cercles ou des bandages circulaires de
la forme voulue.

« Maintenant, disent les inventeurs, (1) non-seulement nous confectionnons, comme nous l'avons dit.
des rondelles circulaires pour en faire les parties exté-
rieures des roues, en contournant des bandes plates
autour d'un cylindre ou d'un mandrin ; mais encore nous
en confectionnons de semblables, mais plus petites de
diamètre et plus larges ou plus hautes, pour les parties
centrales, en contournant de même des bandes de fer
en hélice autour d'un axe cylindrique ou d'un mandrin
d'un diamètre nécessairement plus petit que le précédent.

---

(1) Vol. 17 des Brevets d'invention.

« Ces secondes rondelles, plus petites, sont dispo-
sées pour entrer dans les premières, dont on a préalablement élargi ou évasé les bords intérieurs, afin qu'en
les soumettant ensemble à l'action du marteau, la partie
saillante de la rondelle la plus haute vienne recouvrir
la plus grande, en pénétrant dans cette sorte de gorge
circulaire, comme la tête d'un rivet à l'entrée de l'ou-
verture qu'il bouche.

« Après cette réunion des deux rondelles, il devient
facile d'achever la roue entièrement, en la mettant sur
une enclume et en évidant successivement l'intérieur
entre le moyeu et la jante, au moyen de plusieurs rondelles différentes qui servent de matrices, puis en ter-
minant complètement au marteau-pilon.

« En étudiant tout particulièrement ce procédé,
nous nous sommes convaincus qu'il était même possible
de fabriquer les roues avec une seule rondelle, au lieu
de deux.

« Les figures 12 et 13 montrent d'abord la première
rondelle A, faite comme nous l'avons indiqué dans
notre brevet primitif, en contournant en hélice, sur un
mandrin cylindrique ou conique, une barre de fer méplate a, à laquelle nous donnons de préférence une section trapézoïdale ou en coin, c'est-à-dire un peu plus
épaisse d'un côté que de l'autre, plutôt que celle rectan-
gulaire. Cette forme a l'avantage de tendre à faire rapprocher plus fortement les spires à la surface extérieure
de la rondelle.

« Celle-ci, présentée à l'action du marteau-pilon
pour être aplatie et soudée dans toutes ses parties, reçoit
en même temps sur ses bords intérieurs une forme
évasée en gorge, comme le montrent les figures 15 et 16.

« Nous préparons de même une seconde rondelle
B, fig. 17, 18 et 19, que nous faisons également en
contournant une barre de fer méplate b, de la largeur
convenable, autour d'un autre mandrin beaucoup plus
petit de diamètre que le précédent. Cette rondelle, de
forme légèrement conique comme la première, a pour
diamètre extérieur le diamètre intérieur de celle-ci,
afin de pouvoir s'y introduire; et comme elle est plus
haute dans le sens de l'axe, elle la dépasse de chaque
côté : de sorte que si on soumet le tout à l'action du
marteau-pilon, après avoir chauffé le paquet dans un
four à reverbère, en le posant à l'état suant sur l'enclume C, fig. 20, et en le forgeant avec une matrice ou
marteau D ayant à peu près la forme indiquée sur cette
figure, on refoule la matière de la rondelle centrale B
de manière à remplir la gorge évasée de la rondelle
extérieure A, et à la recouvrir d'abord sur une face et
ensuite sur la face opposée.

« Il résulte de cette opération que les deux rondelles
sont soudées et parfaitement adhérentes l'une à l'autre,
de manière à ne faire qu'une seule et même pièce, qui
n'est autre qu'un disque circulaire de fer épais, qui ne
cesse pas d'être percé à son centre.

« Nous corroyons cette masse circulaire en l'aug-

mentant ou en agrandissant son diamètre extérieur, et
en même temps en formant le boudin dans des matrices
de forme convenable. Ainsi, on évide la masse entre le
moyeu et la jante : pour cela, nous employons successivement des bagues ou viroles en fer de plus en plus
grandes et plus larges, telles que celle *E*, détaillée
fig. 21 et 22, puis celles *F, G,* indiquées sur les coupes,
fig. 23 et 24.

« Il est facile de comprendre qu'en faisant pénétrer
à l'aide du marteau la première bague, de chaque côté
du disque de fer chauffé au rouge blanc, on forme une
première empreinte qui commence à dégager le moyeu,
comme le montre la figure 23 ; on augmente ce déga-
gement par une seconde et une troisième chaude, avec
les bagues suivantes, qui sont plus larges ; c'est ce que
nous avons voulu indiquer par la figure 24. On continue
de cette sorte le corroyage de la pièce par d'autres
chaudes et d'autres bagues plus larges, et on achève
enfin la roue entièrement, au moyen de la matrice
ronde en fonte *H,* fig. 25 et 26, qui est placée sur l'enclume et percée de trous *c* à sa circonférence, afin de
permettre de la faire tourner sur elle-même au fur et à
mesure qu'on fait agir le marteau *I.*

« Ce marteau a autant de longueur que la roue doit
avoir de diamètre, fig. 26, mais il n'a qu'une largeur
limitée, fig. 25 : par conséquent, lorsqu'on tourne la
matrice pendant que le marteau frappe, on fait prendre
à toute la pièce la forme exacte indiquée fig. 27 et 28.

6

« Le boudin extérieur b' de la roue est obtenu en
même temps dans les dernières opérations, puisque la
matrice est évidée pour cela ; la jante d, qui comprend
le bandage ordinaire, augmenté de la couronne existant
dans les roues ordinaires, se raccorde avec e, comme
le fait bien voir la figure 27, par des congés allongés
qui raccordent celle-ci de même avec le moyeu f.

« On peut, de cette sorte, réduire autant qu'on le
voudra l'épaisseur de la partie comprise entre le moyeu
et la jante, et qui remplace les rayons des roues ordinaires ; comme aussi on peut, si on le juge convenable,
ménager dans l'exécution même des nervures ou saillies
imitant les bras, pour consolider la pièce et empêcher
qu'elle ne puisse se voiler ou fléchir par la charge ou
le travail. C'est ainsi que nous supposons faite la roue
indiquée sur la figure 27.

« Dans ce dessin, nous admettons la roue fabriquée
avec une seule rondelle A, figures 30 et 31, au lieu de
deux, comme précédemment.

« Ainsi, prenant une barre de fer méplate a, fig. 32,
d'une largeur suffisante et d'une section légèrement
trapézoïdale, nous contournons cette barre en hélice
autour d'un mandrin, comme nous l'avons déjà dit,
afin de former cette forte rondelle qui présente un
volume convenable, et que nous soumettons à l'action
du marteau afin de souder toutes ses parties et l'apla-
tir, suivant la figure 33.

« Nous élargissons ensuite cette forte rondelle,

après l'avoir chauffée à l'état suant, au moyen d'une première bague en fer E', fig. 34, et d'une enclume ou matrice à teton ou à renflement J. On peut aussi se servir d'une enclume plate et de bagues en fer rapportées, pour remplacer le teton ou renflement. On l'augmente ainsi successivement par des bagues plus larges et plus grandes E', G', fig. 35 et 36, autant qu'on le juge nécessaire, et avec des enclumes correspondantes K, L, dans le teton ou le renflement desquelles on a eu le soin de ménager des entailles arrondies, qui correspondent aux bras ou nervures de la roue lorsqu'on veut en faire venir, comme nous le supposons ici.

« Les dernières matrices sont faites de manière à préparer le boudin extérieur de la jante. On termine alors par une dernière matrice M, fig. 37, et un marteau N, fig. 38 et 39, semblable à celui dont nous avons parlé plus haut.

« Cette dernière matrice est aussi percée de trous à sa circonférence extérieure, afin d'y introduire une barre qui permet de la manœuvrer aisément ; la saillie ou son teton circulaire est entaillé comme les précédents suivant la forme arrondie, fig. 40, des bras ou rayons r, ménagés sur l'une des faces de la roue, fig. 29.

« Ces sortes de bras ou rayons, formant nervures d'un côté de la pièce, peuvent être évidemment plus ou moins prononcés et en plus ou moins grand nombre, suivant les dimensions des roues. On peut aussi, suivant qu'on le jugera nécessaire, faire en sorte que la partie pleine, qui réunit le moyeu à la jante, comme les rayons eux-mêmes, soient placés plus ou moins au centre ou au milieu de l'épaisseur de la pièce. Ainsi dans la coupe, fig. 41, nous supposons que cette partie pleine est exactement au milieu de la largeur de la roue ; dans la figure 42, elle est un peu rejetée de côté, et enfin dans la figure 43 nous supposons qu'elle est encore plus excentrée.

« Ces nervures ont l'avantage, comme nous l'avons dit, de donner plus de consistance, plus de raideur à la roue. Elles ont aussi le mérite de présenter un coup d'œil agréable, et de faire paraître les roues plus légères, étant justement du côté extérieur des wagons.

« Par ce système de roues entièrement en fer, d'une même pièce, composées d'une seule ou de plusieurs rondelles préalablement faites par du fer contourné en hélice, nous réunissons toutes les conditions désirables de solidité, de légèreté et d'économie ; et en ayant le soin de faire la jante d'une épaisseur telle, qu'elle corresponde, par exemple, à celle du bandage ajouté à la couronne des roues ordinaires, on a l'avantage de pouvoir user la partie extérieure de 50 millimètres au moins avant d'y rapporter un bandage, tandis que dans les autres, par cela même que la couronne est faible et qu'elle n'est soutenue que par des bras, elle ne permet pas d'user les bandages à plus de 25 ou 26 millimètres. »

Et maintenant, à qui de Messieurs Petin, Gaudet et Germain Morel rapporter la propriété véritable de l'invention première des bandages sans soudure ? Faut-il simplement ajouter foi aux divers documents que l'on peut consulter sur ce point ? ou bien doit-on prêter l'oreille à certains bruits qui sembleraient faire de Germain Morel une victime de ses associés ?

En ce qui me concerne, j'avoue que j'ai un grand respect pour les documents écrits que nous conserve le temps ; eux seuls, à mon sens, sont capables de retracer la vérité et c'est, le plus souvent, de la confrontation de leurs nuances diverses que nait une couleur moyenne, vrai miroir du passé. Il y a en effet deux manières d'écrire l'histoire : l'une, qui consiste à recueillir çà et là tout ce que la mémoire peut transmettre ; l'autre, qui, s'appuyant sur des preuves irrécusables, a pour objet de fouiller les archives, de rechercher avec minutie les causes et conséquences des faits, en les montrant dans leur réalité, tels qu'ils ressortent d'une étude approfondie et d'un examen impartial. La première manière, admissible au moyen-âge, serait fort déplacée en un siècle qui, comme le nôtre, semble avoir pour mission de jeter quelque lumière sur le passé ; je m'en tiens donc à la seconde.

Or, j'ai déjà fait observer que le premier brevet pour la fabrication des bandages sans soudure avait été pris collectivement au nom de MM. Petin, Gaudet et Morel, ce qui donne lieu de croire que les trois associés avaient apporté chacun leur part de connaissances dans l'invention. Cette interprétation paraîtrait sans doute plus spé-

cieuse que solide si je ne me hâtais de l'appuyer du
document irréfutable que voici :

« Je déclare que la patente demandée par mon correspondant, en Angleterre, pour les divers perfectionnements apportés dans les procédés de forgeage ou de
corroyage du fer par MM. Petin et Gaudet, de Rive-de-
Gier, comprend aussi la fabrication des bandages sans
soudure, pour laquelle j'ai demandé en France un brevet spécial au nom de MM. Petin, Gaudet et Morel ; que
cette portion de la patente doit donc profiter également
à ces *trois inventeurs,* tandis que la première partie relative aux arbres, essieux, canons, creusets, etc..., est la
propriété exclusive de MM. Petin et Gaudet seulement.

« Il en est de même des brevets d'invention et d'addition, pris en Belgique, au nom de M. Jules Petin.
Tout ce qui est contenu dans le brevet d'invention est
la propriété de MM. Petin et Gaudet, et de même la
partie comprenant les canons à rubans décrits dans le
brevet de perfectionnement ; mais la dernière partie
relative aux bandages sans soudure est la propriété col-
lective de MM. Petin, Gaudet et Morel.

« Ayant été chargé par ces Messieurs de demander
ces divers brevets, je me plais à faire la présente déclaration.

« Paris, le 10 octobre 1849,

« Signé : ARMENGAUD aîné, ingénieur. »

— « Nous reconnaissons la déclaration du sieur Armengaud véritable concernant nos intérêts réciproques ; de plus, bien que le brevet pour la fabrication des bandages soit pris au nom de MM. Petin, Gaudet et Morel, cette désignation n'emporte pas avec elle que les bénéfices sur cet article relatif au brevet soient partagés par tiers entre MM. Petin, Gaudet et Morel, mais bien entre]a société Morel et Cie de Saint-Chamond, comme pour tout ce qui se fait dans l'usine de Saint-Chamond.

« Rive-de-Gier et Saint-Chamond, le 12 octobre 1849,

« Signé : Germain MOREL, PETIN et GAUDET. »

D'autre part, il résulte d'un document tout récent que « après bien des pourparlers avec M. Germain Morel et en apportant chacun leurs idées, MM. Petin et Gaudet furent assez heureux pour fabriquer des bandages sans soudure. Et, comme chacun d'eux avait participé à l'organisation de cette nouvelle fabrication, il fut pris un brevet, tant en France qu'à l'étranger, pour la fabrication des bandages sans soudure, faits au laminoir, au nom de MM. Petin, Gaudet et Morel. »

Ces faits exposés, me permettra-t-on une réflexion ?

Germain Morel a été l'inventeur *premier* des bandages sans soudure; que MM. Petin et Gaudet l'aient aidé de quelques conseils, c'est fort possible, c'est même probable ; il était donc de toute justice que le brevet fut pris collectivement. Mais ce qui m'a le plus frappé, en consultant les divers écrits de l'époque, c'est de ne jamais voir figurer le nom de Germain Morel à côté de ceux

de MM. Petin et Gaudet. En effet, l'ingénieur Armengaud aîné qui adresse à tout propos, soit dans le *Moniteur industriel,* soit dans la *Revue de mécanique,* des éloges
à ces deux maîtres de forges, — éloges bien mérités,
entre parenthèse, — cet ingénieur, dis-je, passe sous
silence, dans le *Moniteur,* une invention aussi importante que celle des bandages sans soudure, alors que
cet organe de l'industrie donne de minutieux détails
sur des procédés d'un ordre tout à fait secondaire. Mais,
va-t-on me dire, la *Revue de mécanique* en parle ! — c'est
vrai, et voici en quels termes :

« Bandages sans soudure pour roues de wagons et
de locomotives par MM. Petin et Gaudet, maîtres de
forges, à Rive-de-Gier.

« MM. Petin et Gaudet à qui l'on doit d'utiles et
heureux perfectionnements dans l'exécution des pièces
de fer corroyé, employées dans les puissantes machines,
comme les essieux de locomotives, les arbres de couche,
les manivelles, les tiges de pistons, les bielles pour
navires à vapeur, etc.... sont parvenus à faire des bandages de roues, en cercles, sans soudure, avec une précision et une netteté remarquables.

« On sait que jusqu'alors les bandages étaient livrés
par les fabricants aux constructeurs et aux Compagnies
de chemins de fer en barres droites de la longueur voulue, et on les cintrait dans les ateliers, en les chauffant
dans des fours spéciaux, pour les ajouter sur la circonférence des roues.

« Actuellement, MM. Petin et Gaudet livrent ces bandages circulaires au diamètre demandé, ce qui évite, d'une part la soudure qui est toujours difficile à faire et ne présente pas toute la sécurité voulue, et de l'autre les déchets, les frais de main-d'œuvre et de combustible. Ces habiles fabricants sont même parvenus à exécuter ces cercles assez exacts, assez précis pour éviter l'opération du tournage.... »

Tel est l'état de la question ; loin de moi la pensée de rien vouloir insinuer ; l'omission du nom de Germain Morel a été un fait involontaire, j'aime à le croire, mais je le regrette fort.

On a vu plus haut que la Société Petin, Gaudet et Morel, sous le nom de Morel et Cⁱᵉ, avait été contractée à partir du 1ᵉʳ février 1848 pour une durée de neuf ans. Or, le 1ᵉʳ février 1851, les associés prorogèrent de huit années la durée de cette Société, sauf faculté de dédite d'une et d'autre parts, à des époques déterminées ; ils substituèrent aussi à la raison sociale Morel et Cⁱᵉ celle de Petin, Gaudet, Morel et fils. Enfin ils convinrent, à l'égard des brevets ou patentes obtenus en Angleterre et en Belgique pour la fabrication des bandages sans soudure , « que la faculté de l'exploitation desdits brevets ou patentes serait vendue dans ces deux pays par les soins de MM. Petin et Gaudet au prix que ces derniers jugeraient convenable, pour le produit desdites ventes être partagé dans la proportion indiquée par une convention sous seing-privé ; et, comme les brevets pris dans ces deux pays comprenaient dans leur ensemble, outre l'invention des bandages sans soudure, dont le bénéfice appartenait à la Société Petin, Gaudet, Morel et fils, d'autres brevets appartenant en propre à MM. Petin et Gaudet, il fut arrêté que les brevets ou patentes pris dans ces deux pays seraient vendus en leur ensemble en Angleterre et en Belgique et que la moitié du prix de ces ventes seulement appartiendrait à la Société Petin, Gaudet, Morel et fils. »

Le fonds total de cette Société se composait :

1º D'un immeuble situé au pré du Château, comprenant : maison d'habitation, cour, jardin, usine, matériel, etc....

2º D'un fonds de roulement estimé en apport à 60,000 francs, soit 16666 fr. 76 par A. et G. Morel, et 43,333 fr. 35 par MM. Petin et Gaudet.

3º Du brevet pour les bandages sans soudure.

Mais bientôt il se produisit entre associés de sérieuses difficultés soit au sujet de la direction de l'usine, soit au sujet de l'administration commerciale de la Société. Ces difficultés survenues à plusieurs reprises, aplanies et renouvelées plusieurs fois, menaçaient, on le conçoit, d'entraver la marche des affaires sociales et de porter à tous les associés un préjudice des plus graves. Afin de couper court à ces inconvénients et dans le but d'éviter les pertes qui pouvaient en résulter, MM. Petin et Gaudet proposèrent à MM. Morel père et fils de résilier la Société et d'acheter l'usine entière pour leur compte personnel. MM. Morel ne voulurent consentir à cet offre qu'à la charge par MM. Petin et Gaudet de partager avec eux le bénéfice de l'exploitation du brevet des bandages sans soudure, de leur laisser la faculté de fabriquer ces bandages, et de leur payer une certaine indemnité.

Enfin, il fut résolu que la Société serait dissoute à partir du 30 juin 1852 et qu'à cette époque Germain Morel cesserait d'être directeur de l'usine. Il devait en outre céder à MM. Petin et Gaudet la forge, sa maison et ses dépendances, moyennant la somme de 100,000 francs, sans compter une autre somme de 66,000 francs, allouée à MM. Morel et fils comme indemnité pour les avantages que pourraient retirer leurs associés de la continuation des commissions prises jusqu'au jour de la dissolution de la Société et dont ces derniers devaient seuls profiter.

Dès lors, Germain Morel s'occupa sans tarder de faire construire une nouvelle usine dans un terrain appartenant au marquis de Mondragon, au quartier du Châtelard. Malheureusement pour lui, tandis qu'il procédait à l'installation de cette forge, MM. Petin et Gaudet recevaient toutes les commandes des diverses compagnies de chemins de fer et devançaient de beaucoup leur jeune concurrent; il faut noter aussi que, pendant ce laps de temps, ces deux associés agrandissaient considérablement leurs usines de Saint-Chamond.

La lutte devenait donc de plus en plus inégale. Aussi

bien l'usine Germain Morel, quoique pourvue d'appareils analogues à ceux de MM. Petin et Gaudet, ne put
prendre l'essor; elle alla toujours en périclitant.

C'est alors que MM. Petin et Gaudet chargèrent
MM. Fraisse et Marsais, de Saint-Etienne, d'acheter
secrètement pour leur compte la nouvelle usine de
Germain Morel. Par acte du 16 juillet 1853, ce dernier
vendit toutes les constructions, machines et agrès, qu'il
avait fait édifier et établir, aux conditions suivantes :
1º MM. Fraisse et Marsais n'entreraient en jouissance
qu'au 1er septembre, afin de permettre à Germain Morel
d'achever la livraison des commissions qu'il avait prises;
2º ce dernier cédait tous les brevets pris, tant en France
qu'à l'étranger, relatifs à la fabrication des bandages
sans soudure. En outre, comme condition essentielle
de la vente ou cession, « il s'interdirait formellement
jusqu'à l'expiration du brevet principal des bandages
sans soudure, et cela à peine de tous dépens, dommages-
intérêts envers les acquéreurs, de s'occuper directement ou indirectement, soit pour son compte, soit pour
le compte d'autrui, de tout ce qui pourrait avoir rapport
aux bandages de voitures, tenders et locomotives de
chemins de fer, soit par le procédé des brevets, soit par
tous autres procédés *connus* ou *inconnus,* à l'exception
cependant des bandages droits faits par les anciens systèmes.... »

Comme prix de la vente, Germain Morel reçut :
12,000 francs pour le terrain cédé; 190,000 francs pour

constructions, machines, outillage ; et 175,000 francs pour subrogation complète de ses droits aux brevets d'invention.

On le voit, Germain Morel avait désormais les bras liés par le traité qu'il venait de souscrire. Ce dut être assurément un grand sacrifice pour ce travailleur d'abandonner une industrie à laquelle il avait toujours attaché les plus vives espérances, en laissant échapper du même coup une invention des plus importantes. Mais aucune expression ne peut rendre sa douleur et donner une idée de son découragement lorsqu'il apprit que MM. Fraisse et Marsais avaient été les intermédiaires de ses concurrents. En effet, le 17 juillet 1853, « MM. Fraisse et Marsais déclaraient que les acquisitions avaient été faites pour le compte et au profit de la Société H. Petin et Gaudet ; qu'ils n'avaient fait que prêter leur nom à la Société et que, en conséquence, ils ne prétendaient rien à ces acquisitions, quelles qu'elles soient. »

Germain Morel devint, à partir de cette époque, mélancolique et rêveur ; il se rendait, pendant la journée, à sa forge où il s'occupait d'achever les commandes reçues antérieurement à l'acte de cession ; puis, le soir, il recherchait la compagnie des ouvriers qui avaient travaillé avec lui, leur faisait part de diverses inventions auxquelles il aurait été heureux de donner le jour.

Enfin, le 1er septembre 1853, comme cela était stipulé dans l'acte de cession, il abandonna définitivement son usine.

Le lendemain, on annonçait que Germain Morel était mort.

Le *Moniteur industriel* rapporte que pendant la nuit « le son d'une cloche lui ayant paru extraordinaire, Germain Morel se leva et alla à sa croisée qu'il ouvrit. C'est dans ce mouvement précipité qu'il dut perdre l'équilibre, et de sa croisée, dont l'appui était peu élevé, tomber sur le pavé où il se brisa le crâne. Son vieux père et quelques ouvriers accourus peu après ne relevèrent qu'un cadavre. »

Le souvenir de ce travailleur infatigable, de cet homme de bien est toujours vivant dans le cœur de ceux qui l'ont connu. Il se conservera à jamais au sein de notre cité, parce que Germain Morel n'a pas seulement honoré son pays natal par ses inventions; c'est encore grâce à lui, grâce à son intelligence que les usines se sont agrandies dans de si notables proportions et ont attiré un aussi grand nombre d'ouvriers. Aussi M. Agamemnon Imbert proposa-t-il au Conseil municipal, dans la séance du 30 janvier 1871, de donner le nom de place *Germain Morel* à l'espace limité par la rue Notre-Dame, la rue de la Fontaine, l'immeuble Garas et la rue du Pré-Château. L'assemblée adopta à l'unanimité.

Tout dernièrement (1889), en donnant encore à une des artères voisines le nom de « rue Germain Morel, » on a rendu un nouvel hommage à la mémoire de cet inventeur distingué qui, par son travail opiniâtre, a, pour ainsi dire, donné l'essor à l'industrie la plus importante de notre ville, en assurant du même coup, l'avenir d'un grand nombre d'ouvriers.

Enfin, la présente biographie, quoique bien imparfaite, fixera à jamais le souvenir de ce compatriote dont la vie toute entière fut faite d'honneur, de travail et de persévérance !

Saint-Chamond — Imprimerie et Lithographie A. Poméon.

126

Imprimé en France
FROC031252210120
23229FR00008B/118/P

9 782329 358253